cF

ANCIENT ART OF THE NORTHERN CAMEROONS
SAO AND FALI

★

ART ANCIEN DU NORD-CAMEROUN
SAO ET FALI

ANCIENT ART OF THE NORTHERN CAMEROONS: SAO AND FALI

ART ANCIEN DU NORD-CAMEROUN: SAO ET FALI

Photos: Gerard Jansen

Institute of Human Biology
State University at Utrecht

and/et

Text: Dr. J.-G. Gauthier

Laboratoire d'Anthropologie
Université de Bordeaux

1973
ANTHROPOLOGICAL PUBLICATIONS
OOSTERHOUT • THE NETHERLANDS

Exclusive distributor in the U.S.A., its possessions and territories, and Canada and Mexico:

HUMANITIES PRESS Inc.
303 Park Avenue South
New York, N.Y. 10010

Ouvrage publié avec le concours du Centre National de la Recherche Scientifique.

Printed in The Netherlands

Acknowledgments / Remercîments

We are much indebted to: the Sultan of Afadé, Député Fédéral; the Yerima Egui Ndotté of Ngoutchoumi; mr. Ernest Bouyer; the conservator of the Musée d'Histoire Naturelle at La Rochelle; and mr. Chanuzet, assistant of the same museum.

Nous adressons nos plus vifs remercîments à: S.G. le Sultan d'Afadé, Député Fédéral; le Yerima Egui Ndotté de Ngoutchoumi; M. Ernest Bouyer, M. le conservateur en chef du Musée d'Histoire Naturelle de La Rochelle et M. Chanuzet, assistant au même musée.

Introduction

The Sao civilisation may be looked upon as one of the most ancient in West-Africa, when taking into account the recent discoveries made by J. P. Lebeuf, dating from the 5th century B.C. as indicated by C-14 determinations. However, the documents about these bygone days are still often lacking and the most typical signs of this civilisation correspond to the period between the 10th and 16th centuries.

This civilisation developed to the south of Lake Chad in a low plain of vast muddy expanses, partially flooded in the rainy season, dotted with scattered thorn bushes and bare palm-trees.

The legends and myths agree that the Sao were giants, endowed with a prodigious force. The same narrations credit them with a remote origin, and according to one of them, recorded at Garoua, they were even said to have come from Jerusalem . . .

„Long, long ago, a woman from Jerusalem brought forth a pair of twins. One was a boy, the other a girl. They grew up together and married, giving birth to a people of giants: the Sao. Pursued by the wrath of the gods, the Sao crossed the plains, the mountains and deserts before landing on an island surrounded by pitch-black waters. There, in a dark and gloomy site, they built houses and founded villages, whilst making light using a remarkable metal: 'living gold'.

Their voice was so powerful that it made the mountains collapse; with one hand, they dammed up a stream. When they walked, the earth shook. They used the stem of a palm-tree as a bow and their breath stemmed the east wind . . .

They buried their dead in large jars, on huge mountains erected by hand . . ."

It is now assumed that the Sao have occupied, to the north of Lake Chad, the oases of Bilma, Tadjéré and Fatchi from the 7th century. According to the chronicler Ibn Haukal they settled towards the 10th century on the shores of the lake, where they founded, if not an empire, at least some kingdoms or principalities, comprising the inhabitants of one or more cities.

In the 13th century, these kingdoms, then at the height of their glory, were powerful enough to make their neighbours, the sultans of Kanem, feel uneasy. In the 14th century, wars broke out, which went in favour of the Sao. According to Ibn Fartoua, chronicler of the Bornou sovereigns, they even succeeded in killing four sultans from Kanem between 1346 and 1352. These kingdoms seem subsequently to have been the scene of internal conflicts (Afadé-Sou), fights for influence, to some extent stirred up from abroad. The early part of the 16th century was marked by great invasions. The Massa, coming from the east preceded the Bornouans, who, under the command of May Idriss Alaoma, destroyed what was left of the great cities.

Driven from their country, the Sao were dispersed; some fled to the Gobir. A large group found refuge in the mountains to the northwest of the Cameroons, where they mixed with other peoples, particularly the Massa, and where today they constitute the Kotoko. Some isolated tribes or parts of tribes reached the valley of the Bénoué, where they founded settlements, which were definitely destroyed by new invaders early in the 18th century.

ARCHAEOLOGICAL DATA

It was general Tilho who (at the beginning of the century) first mentioned Sao archaeological sites. Subsequently, Migeod, Descarse, Pales, and Wulsin devoted themselves more especially to the study of the question. However, it is, above all, J. P. Lebeuf to whom we are indebted for the most important studies and principal discoveries. More than a hundred sites were excavated or prospected, both in the Cameroons and in the Chad region. Thanks to a methodical study of these sites, the Sao have gradually been rescued from oblivion and from the legends surrounding them. The towns have been discovered and the necropolises exposed; a rich collection of archaeological finds, utensils, religious objects, jewels, ornaments, and objects of art today testify to the original character of this civilisation.

The sites stand out clearly in the monotonous expanse of the Chad plain. They consist of artificial mounds of varying sizes of the Tell type, these having sometimes been raised by several metres in the course of the centuries as a result of tectonic effects, ruins of buildings and all kinds of debris. Some of these mounds, which are still occupied, extend over several hectares; others are of much more modest size and are reduced to simple tumuli, in which J. P. Lebeuf rightly recognizes places of worship. The mounds erected on a slight undulation of the ground were sometimes surrounded by ramparts of earth, traces of which can be seen in the present Kotoko towns (Afadé, Logone-Birni, etc.). In the Waza region, about 100 kilometres to the south of Lake Chad, situated at a much higher altitude, it would seem that only the dwellings had been slightly raised relative to the ground level.

All these mounds are littered with innumerable fragments of earthenware of multiple decoration, some of which were used to pave the ground of the dwellings. The archae-

8

ological deposits sometimes attain a thickness of 9 metres. Unfortunately, the stratigraphic records are not yet numerous enough to enable valid chronological conclusions to be drawn.

The oldest sepulchres are simple tombs in which the corpses were stretched out on the ground. In a period which may be estimated as being towards the end of the 12th century, these tombs coincide with sepulchres composed of two opposite jars of earthenware, in which the corpses were placed in the foetal position. The appearance of these sepulchres may coincide with the advent of new populations, to which references are made in the oral traditions related by Arab chroniclers. In numerous cases, the upper jar was replaced by a conical lid, which is found again in the ancient Fali sepulchres.

At the end of the 15th century, the tombs in which the corpse was placed in its full length appeared again and replaced, for the time being, the jars. This change in the funeral customs betrays the influence of Islam, taking root in the Sao country. At the same time, a certain degree of degeneration of the archaeological sites becomes noticeable. The numerous works of art of the preceding periods occur more rarely and then disappear altogether with the exception of some small models, which are very much stylized and which are mere playthings for children. The slip-decorated earthenware occurs much more frequently, whereas it was extremely rare or even non-existent in the preceding periods. Bronze working, which had attained a very high degree of perfection (bracelets, ,,cache-sexes") in the preceding periods nearly ceases to exist. At the end of the 16th century, the Sao no longer existed as a people.

THE FALI

From among the ,,Kirdi" peoples in the Northern Cameroons, the Fali are those who have preserved, until fairly recently, the most conspicuous elements of the cultural Sao tradition, viz. their burial customs. Numbering about 45,000, they live in the Bénoué region, not far from Garoua, in the mountainous districts of Tinguelin, Kangou, Bori-Peské and Bossoum. Their villages, formerly clustered around the poorly accessible mountain peaks, were generally protected by reinforced structures of mud-bricks, overgrown by thornbushes. Though being a peace-loving, agricultural people, they offered fierce resistance to the conquests of the Peul in the 19th century.

The various Fali groups are of very diverse origin and it has now been proved that this people arose recently, at the end of the 18th century and the beginning of the 19th century, through the merging together of elements of different ethnical origin. On the Tinguelin massif, the most autochthonous population is represented by the Mango (Hou) Fali of Ngomna origin, who occupied this region already before the 15th century. Early in the 17th century, the Sao, driven from the district they inhabited to the south of Lake

Chad, sought refuge in the Bénoué valley and founded some settlements in the Ngomna territories. Their influence on the aboriginal populations is revealed by a change in the type of sepulchres; the tombs, in which the corpse was placed in its full length were replaced, towards the beginning of the 17th century, by those consisting of two jars of the Sao type.

These tombs, at first isolated, were grouped together towards the end of the 18th century in vast necropolises (Ngoutchoumi), comprising up to three separate layers. The funerary relics found in the tombs, cornelean beads, bracelets, necklaces, etc., are rather similar to the Sao relics found in the tombs of the Chad region, though they occur less frequently and are of clearly lower quality.

The Fali statuettes of this period unmistakably resemble those found at Waza. Very much stylized, they all have a head of hair represented by small balls, a typical feature of the hair style of the Fali. As funeral figurines, they are found near tombs and, more seldom, inside these. In other, more numerous, cases they have been accommodated in recesses in the rocks. The custom of the Fali to make such human images on the occasion of the birth of a child in order to dispel evil spirits accounts for their relative abundance and may also explain their use by the Sao.

Numerous playthings and more realistic representations of animals also show that this form of art was subject to rather strict laws. The absence of representations of human faces is not due to the incapability of the artists but to interdicts, forbidding the making of human images. In this the Islamic influence may be recognized.

At the end of the 18th century, numerous groups of people, particularly the Woptshi and the Tshalo, joined the ancient Fali and introduced new customs. The tombs composed of two jars disappeared and were replaced by vaults in which the dead body was placed in seating posture and wrapped up in cotton strips.

All the intermediate stages between the Sao tomb and the present vault meet in the period immediately following the end of the 18th century and the beginning of the 19th century.

The archaeological discoveries in the land of the Fali thus offer an ideal contribution to the knowledge obtained concerning the history of the Northern Cameroons. Through their connection with the Sao civilisation, they make it possible to ascertain certain aspects of the evolution of a traditional civilisation according to time and space, allowing for foreign influences which have been able to modify it without affecting its basic features.

THE ART OF THE SAO

Sao art obeys the general rule according to which any evolution is a continuous process in the case of a settled population, enjoying a certain degree of social-political stability. However, the African societies have by no means remained unchanged or caught in a monolithic, intangible structure; they have undergone changes according to space and time as a result of wars, invasions, migrations and religious trends, which find their permanent reflection in the works of art.

Thus each specific era — allowing for the geographical position — has its own peculiar style, enabling the general lines to be deduced, even though art passes through stages which are more or less staggered according to time and which correspond to moments in the life and history of the creating society. If it is only slightly affected by periods of unsettled economic and social conditions of small importance, temporarily besetting some populations, this is because it draws its vitality from what, throughout the ages, nay even for thousands of years, has been its main stimulance and impetus: religion.

When it is tied to customs, beliefs, the works of art rapidly lose their significance when the society to which they owe their inception disappears or when these beliefs are altered. The works of art are then mere objects without a soul, whose intrinsic aesthetic value is insufficient to ensure their everlasting existence. This may account for the discontinuities observed in the style: they reflect the drastic change in ethics. The same beliefs, the same moral ideas which find their expression in art give it a certain uniformity.

However, the Sao culture, like most cultures, has benefitted from foreign contributions, which have modified the very concepts of an art, which would have tended to become conventional by the mere repetition of a prototype, preserved by virtue of its religious use. In the archaic period, inventiveness only plays a minor part. It would seem that one contented oneself with reproducing one and the same model, without variations of any importance to the formulae. But these variations, however insignificant they are, when accumulated, will gradually lead to a transformation of the model by giving the artist, thus released from the conventional type, more liberty.

One cannot speak of a spontaneous art, with the obvious exception of some animal figurations, playthings for obviously simple purposes, but for which the creative imagination of the artist, liberated from social-religious restraints, is given a free hand.

The artist has no personal message to transmit; as an artist, he has, properly speaking, no existence from the social point of view, he is a cultivator, a fisherman, a blacksmith, maybe a nobleman, maybe a warrior or a slave. Moreover, in many cases, it is not the aesthetic quality of the object which is of importance but its religious effectiveness, irrespective of the fact whether the artist himself is clad with authority or not.

It can then be explained why works of art belonging to the same period and originating from the same source are of very divergent quality; this only depends on the ability of the individual artist who has created them for a useful purpose. This concept does not create an obstacle to the endeavours on the subject of aesthetics, resulting in the most perfect works of art. On the contrary: instead of being the result of the endeavours of

11

one single person, they are the result of the efforts made by many and are based on the very image of the African societies, where the human individual owes his existence to the group to which he belongs, but which does not prevent him from keeping his own personality and displaying it.

The ancestorial masks, at first very stylized, display the tendency of an evolution in the figurative style, even when they represent those fantastic half-human, half-animal beings, spirits, gods or masked sorcerers. Concerning the human statuettes, the body is always very sketchily represented and reduced to its main components. However, the face, treated with great care, is excitingly realistic. The conventions (exaggerated eyelids, lips, round ears) do not embarrass the sculptor as master of the material and of his art in any respect. One may speak, without exaggeration, of true portraits, even though they are not exact replica of the model; they display an ideal equilibrium between the imitation of nature and abstraction.

In these works, all likeness is reduced to its basic features, because the Sao art is situated on the border-line between visual and intellectual realism. It is wrought, constructed, it does not strive after mere imitation, it evokes, it goes beyond the limits of belief, it suggests emotions, but it may also be gratuitous, amiable and unpretending when playthings or common objects are involved. Hence its richness, its variety and its originality.

LES SAO

La civilisation Saô peut être considérée comme l'une des plus anciennes de l'Ouest-Africain si l'on tient compte des récentes découvertes de J. P. Lebeuf datées au carbone 14 du 5ème siècle avant J.-C. Toutefois, les documents sur les lointaines époques font encore souvent défaut, et les témoignages les plus représentatifs de cette civilisation appartiennent à la période comprise entre le 10ème et le 16ème siècle.

Cette civilisation s'est développée au sud du Lac Tchad dans une plaine basse partiellement inondée durant la saison des pluies, sur de vastes étendues limoneuses piquées çà et là de boqueteaux d'épineux et de palmiers rôniers.

Les légendes et les mythes s'accordent pour faire des Saô des géants doués d'une force prodigieuse. Ces mêmes récits leur attribuent une origine fort lointaine, l'un d'eux recueilli à Garoua les fait même venir de Jérusalem ...

,,En des temps très anciens, une femme de Jérusalem mit au monde deux jumeaux. L'un était garçon, l'autre fille. Ils grandirent ensemble et s'épousèrent, donnant naissance à un peuple de géants: les Saô. Chassés par la colère divine, les Saô traversèrent les plaines, les montagnes, les déserts avant que d'aborder une île entourée d'une eau très noire. Là, dans un lieu de ténèbres, ils construisirent des maisons et fondèrent des villages en s'éclairant à l'aide d'un métal merveilleux: 'l'or vivant'.

Leur voix était si puissante qu'elle faisait s'écrouler les montagnes; d'une seule main, ils barraient un fleuve. Lorsqu'ils marchaient, la terre tremblait. Le tronc d'un palmier leur servait de bois d'arc et leur souffle puissant arrêtait le vent d'Est ...

Ils enterraient leurs morts dans de grandes marmites, sur des montagnes énormes, élevées de leurs mains ...''

Il est maintenant admis que les Saô occupaient dès le 7éme siècle, au nord du Lac Tchad, les oasis de Bilma, de Tadjéré et de Fatchi. Selon le chroniqueur Ibn Haukal, ils seraient installés vers le 10ème siècle sur les rives du Lac où ils auraient constitué sinon un empire, du moins des royaumes ou principautés groupant les habitants d'une ou de plusieurs cités.

Au 13ème siècle, ces royaumes à leur apogée, étaient assez puissants pour inquiéter leurs voisins, les sultans du Kanem. Des guerres éclatèrent au 14ème siècle qui tournèrent à l'avantage des Saô. Selon Ibn Fartoua, chroniqueur des souverains du Bornou, ils au-raient même réussi à tuer quatre sultans du Kanem de 1346 à 1352. Par la suite, il sem-ble que les royaumes aient été le théâtre de conflits internes (Afadé-Sou), luttes d'influen-ce plus ou moins attisées par l'étranger. Le début du 16ème siècle marque l'époque des grandes invasions. Les Massa, venus de l'est, précédèrent de peu les Bornouans qui, sous la conduite de May Idriss Alaoma, détruisirent ce qui subsistait des grandes cités.

Chassés de leur pays, les Saô se dispersèrent; les uns s'enfuirent vers le Gobir. Un groupe important trouva refuge dans les montagnes du nord-ouest du Cameroun, où, métissés avec les autres peuples, en particulier les Massa, ils constituent aujourd'hui l'ethnie Kotoko. Quelques tribus ou éléments de tribus isolées gagnèrent la vallée de la Bénoué où ils fondèrent des établissements qui furent définitivement détruits par de nou-veaux envahisseurs au début du 18ème siècle.

LES DONNEES ARCHEOLOGIQUES

C'est au début du siècle que le général Tilho signale pour la première fois des sites ar-chéologiques saô. Par la suite, Migeod, Descarse, Pales, Wulsin s'attachèrent plus par-ticulièrement à l'étude de cette question. Mais c'est surtout à J. P. Lebeuf que l'on doit les plus importants travaux et les découvertes essentielles. Plus de cent sites ont été fouillés ou prospectés, tant au Cameroun qu'au Tchad, sites dont l'étude méthodique a peu à peu fait sortir les Saô de l'oubli et de la légende qui les enveloppaient. Les villes ont été dé-couvertes, les nécropoles dégagées; un riche mobilier archéologique, objets usuels, objets cultuels, bijoux, parures, oeuvres d'art viennent aujourd'hui révéler l'originalité de cette civilisation.

Les sites se distinguent aisément sur la monotone étendue de la plaine Tchadienne. Ce sont des buttes artificielles de dimensions variables, des sortes de Tell, que l'accumulation, au cours des siècles, de ruines d'habitations, de débris divers, a surélevé de plusieurs mè-tres parfois. Certaines de ces buttes encore habitées s'étendent sur plusieurs hectares; d'au-tres sont de dimensions beaucoup plus modestes et se réduisent à de simples tumuli dans lesquels J. P. Lebeuf avec juste raison voit l'emplacement de lieux de culte. Les buttes cons-truites à partir d'un léger accident de terrain étaient parfois entourées de remparts de terre dont on peut voir des traces dans les cités Kotoko actuelles (Afadé, Logone-Birni, etc.) Dans la région de Waza, à une centaine de kilomètres au sud du Lac, dans la zone beaucoup plus haute, il semble que seules les habitations aient été légèrement surélevées par rapport au niveau du sol.

Toutes ces buttes sont parsemées d'innombrables tessons de poteries aux multiples dé-cors dont certains étaient utilisés pour paver le sol des habitations. Les dépôts archéolo-giques peuvent parfois atteindre 9 mètres d'épaisseur. Malheureusement, les stratigraphies sont encore trop peu nombreuses pour permettre de tirer de valables conclusions chronologiques.

Les plus anciennes sépultures sont des tombes simples où les cadavres étaient allongés à même le sol. A une période qu'on peut situer vers la fin du 12ème siècle, ces tombes sont associées à des sépultures constituées par deux jarres de terre cuite apposées bord à bord dans lesquelles les cadavres étaient disposés en position foetale. L'apparition de ces sépultures peut coincider avec l'arrivée de nouvelles populations auxquelles font allusion des traditions orales reprises par les chroniqueurs arabes. Dans de nombreux cas l'urne supérieure était remplacée par un couvercle conique que l'on retrouvera dans les sépultures fali anciennes.

A la fin du 15ème siècle les tombes allongées réapparaissent et remplacent provisoirement les jarres. Ce changement dans la coutume funéraire traduit l'influence de l'Islam qui s'implante en pays saô. En même temps on note un certain appauvrissement des sites archéologiques. Les oeuvres d'art nombreuses dans les périodes précédentes se raréfient, puis disparaissent complètement, à l'exception de quelques petits modelages très stylisés qui ne sont que des jouets d'enfants. Les poteries à engobe se multiplient, alors qu'elles étaient extrêmement rares, voire inexistantes dans les périodes précédentes. Le travail du bronze qui avait atteint un très enviable degré (bracelets, cache-sexe) dans les périodes précédentes devient à peu près inexistant. A la fin du 16ème siècle les Saô ont cessé d'exister en tant que peuple.

LES FALI

Parmi les peuples „Kirdi" du Nord-Cameroun, les Fali sont ceux qui, à une époque relativement récente, avaient conservé les éléments les plus sensibles de la tradition culturelle saô, à savoir le mode de sépulture. Au nombre de 45.000 environ, ils occupent non loin de Garoua, dans la région de la Bénoué, les territoires montagneux du Tinguelin, du Kangou, du Bori-Peské et du Bossoum. Leurs villages, jadis groupés sur des pitons d'un accès difficile, étaient généralement défendus par des ouvrages fortifiés en pierre sèche, garnis d'épineux. Agriculteurs pacifiques, ils opposèrent néanmoins une farouche résistance à la conquête Peule du 19ème siècle.

Les origines des différents groupes Fali sont très diverses, et il est maintenant prouvé que ce peuple s'est constitué récemment vers la fin du 18éme siècle et le début du 19ème par la fusion d'éléments issus d'ethnies différentes. Sur le massif du Tinguelin la population la plus anciennement autochtone est représentée par les Fali Mango (Hou) d'origine Ngomna, qui occupaient déjà cette région avant le 15ème siècle. Au début du 17ème siècle des Saô, chassés de la région qu'ils occupaient au sud du Lac Tchad, cherchèrent refuge dans la vallée de la Bénoué et fondèrent quelques établissements sur les territoires

Ngomna. Leur influence sur les populations autochtones est attestée par le changement du type de sépulture; les tombes jusque-là „allongées", directement creusées dans le sol, sont remplacées vers le début du 17ème siècle par les tombes en double jarre du type saô.

Ces tombes, d'abord isolées, sont vers la fin du 18ème siècle groupées en de vastes nécropoles (Ngoutchoumi) comptant jusqu'à trois niveaux distincts. Le mobilier funéraire, perles en cornaline, bracelets, colliers etc. est assez semblable au mobilier saô trouvé dans les sépultures de la région Tchadienne bien que plus rare et de qualité nettement inférieure.

Les statuettes fali de cette époque ressemblent à s'y méprendre aux statuettes trouvées à Waza. Très stylisées, elles portent toutes une chevelure figurée par des boulettes, ce qui est caractéristique de la coiffure des Fali. Statuettes funéraires, elles se rencontrent près des tombes, plus rarement à l'intérieur. Dans d'autres cas (les plus nombreux) elles étaient déposées dans des amfractuosités de rochers. L'habitude conservée par les Fali de fabriquer de telles représentations humaines lors de la naissance d'un enfant pour éloigner de lui les mauvais esprits, explique leur relative abondance et peut également expliquer l'usage que pouvaient en faire les Saô.

De nombreux jouets, représentations animales plus réalistes, montrent aussi que cet art était soumis à des conventions assez strictes. La non-représentation des visages n'est pas dûe à une incapacité des artistes mais aux interdits qui s'attachaient à la figuration humaine, interdits dans lesquels on peut voir une influence islamique.

A la fin du 18ème siècle, de nombreux groupes humains, en particulier les Woptshi et les Tshalo, vinrent s'agréger aux anciens Fali et imposèrent de nouvelles coutumes. Les tombes en double jarre disparurent alors et furent remplacées par des caveaux dans lesquels le mort est introduit en position assise, enveloppé de bandelettes de coton.

Tous les intermédiaires entre la tombe saô et le caveau actuel se rencontrent pendant la période qui suit immédiatement la fin du 18ème siècle et le début du 19ème.

Les découvertes archéologiques effectuées en pays fali complètent ainsi les connaissances acquises sur le passé du Nord-Cameroun. Elles permettent par leur rattachement à la civilisation saô de suivre certains aspects de l'évolution d'une culture traditionnelle dans le temps et dans l'espace, compte tenu des influences étrangères qui ont pu la modifier sans en affecter les structures essentielles.

L'ART DES SAO

L'art saô obéit à la règle générale selon laquelle toute évolution est continue dans le cadre d'une population sédentarisée jouissant d'une certaine stabilité socio-politique. Mais les sociétés africaines ne sont point restées immuables, figées dans un monolithisme structural intangible; elles se sont transformées dans l'espace et dans le temps à la faveur des guer-res, des invasions, des migrations, des courants religieux, qui ont entraîné des modifications dont les oeuvres d'art sont l'expression demeurée.

Ainsi, à chaque époque déterminée et compte tenu de la position géographique, se rapporte un style particulier dont il est possible de dégager les grandes lignes, car l'art passe par certains paliers plus ou moins étalés dans le temps et qui correspondent à des moments de la vie et de l'histoire de la société créatrice. Si les déséquilibres économiques et sociaux de faible amplitude qui affectent momentanément telle ou telle population n'ont que peu de répercussion sur lui, c'est parce qu'il tire sa vitalité de ce qui durant des siècles et mêmes des millénaires a assuré une grande partie de sa fonction et de son essor: la religion.

Comme elles se rattachent à des coutumes, à des croyances, les oeuvres d'art perdent rapidement leur signification lorsque la société dont elles émanent disparaît ou lorsque ces croyances sont modifiées. Elles ne sont plus alors qu'objets sans âme dont la valeur esthétique intrinsèque ne suffit pas à assurer la pérennité. Ainsi peuvent s'expliquer les ruptures observées dans le style: elles sont le reflet du changement profond d'une ethi-que. Les mêmes croyances, les mêmes idées morales qui trouvent leur expression dans l'art donnent à celui-ci une certaine unité.

Mais la culture saô, comme la plupart des cultures, a bénéficié d'apports étrangers qui ont modifié les concepts mêmes d'un art qui aurait eu tendance à devenir conventionnel par la seule répétition d'un modèle archétype préservé par la rigueur de son usage cultuel. Dans la période archaïque l'invention n'occupe qu'une place très secondaire. Il semble qu'on se soit contenté de reproduire un même modèle sans que les variations importan-tes en viennent modifier les canons. Mais ces variations, aussi infimes soient-elles, en s'accumulant, transformèrent peu à peu le modéle, donnant plus de liberté à l'artiste ainsi affranchi du type conventionnel.

On ne peut parler d'art spontané sauf évidemment en ce qui concerne quelques figu-rations animales, jouets d'usage courant éminemment modestes, mais où l'imagination créatrice de l'artiste, libéré des contraintes socio-religieuses, peut se donner libre cours.

L'artiste n'a pas de message personnel à transmettre; il n'a pas à proprement parler d'existence sociale définie en tant qu'artiste, c'est un cultivateur, un pêcheur, un forgeron, peut-être un noble, peut-être un guerrier, peut-être un esclave. Au demeurant, dans beaucoup de cas ce n'est pas la qualité esthétique de l'objet qui est essentielle, mais son efficacité religieuse, qu'il soit ou non chargé lui-même de pouvoir.

Alors, on peut s'expliquer que des oeuvres d'art appartenant à la même époque et ayant une même provenance soient de qualité très différente, cela tient simplement à l'habileté de l'individu qui les a réalisées dans un but utile. Cette conception n'empêche pas les recherches esthétiques dont les oeuvres les plus parfaites marquent l'aboutisse-ment. Au contraire: au lieu d'être le fruit des recherches d'un seul, elles sont le résultat

17

des essais de plusieurs, elles sont à l'image même des sociétés africaines où l'homme individuel n'existe qu'en fonction du groupe auquel il appartient, ce qui ne l'empêche pas de conserver sa personnalité propre et de l'épanouir.

Les masques d'ancêtres, d'abord très stylisés, ont tendance à évoluer dans le genre figuratif même lorsqu'ils représentent ces êtres fantastiques mi-hommes mi-animaux, génies, dieux ou sorciers masqués. En ce qui concerne les statuettes humaines, le corps est toujours très schématisé, réduit à ses éléments essentiels. Par contre les visages, traités avec beaucoup de soin d'un réalisme angoissant. Les conventions (exagération des paupières, des lèvres, oreilles rondes) ne gênent absolument pas le sculpteur tant il est maître de la matière et de son art. On peut sans peine parler de véritables portraits, mais de portraits qui ne seraient pas l'exacte réplique du modèle; ils réalisent un heureux équilibre entre l'imitation de la nature et l'abstraction.

Dans ces oeuvres, ce qui est image est ramenée à ses traits fondamentaux, car l'art saô se situe à la limite du réalisme visuel et du réalisme intellectuel. Il est élaboré, construit, il ne cherche pas seulement à l'imitation, il évoque, il transcende les croyances, il suggère des émotions, mais il peut être aussi gratuit, aimable, désinvolte lorsqu'il s'agit de jouets ou d'objets usuels. De là sa richesse, sa variété et son originalité.

List of Illustrations

1.   Map of the northern Cameroons and of the land of the Fali.
2.   Savannah near Ngoutchoumi, Tinguelin, 1968.
3.   A hamlet near the village of Toro. Settlement of a lineage. In the foreground, to the right, are the outer granaries „Doyu". Toro, Tinguelin, 1968.
4.   The young Ngoutchoumi chief. He wears the traditional dress, consisting of a loin-cloth embroidered with geometrical figures, in bright colours. On his left shoulder is a tiger-cat skin *(Felis Serval),* a token of his status. Fali of Ngoutchoumi, Tinguelin, 1968.
5.   This young Fali is dressed in the traditional costume, consisting of a loin-cloth of cotton, embroidered with geometrical patterns in bright colours. He wears a leather bag under the arm, decorated with beads. Fali of Ngoutchoumi, Tinguelin, 1970.
6.   Man's loin-cloth „Tipeshu". Pouri, Tinguelin, present Fali. Size: 44 x 47 cm.
7.   Girl carrying a „Ham Pilu". Fali of Ngoutchoumi, Tinguelin, 1970.
8.   Betrothal doll „Ham Pilu". The body of phallic appearance is set with beads. Leather laces ending in cowrie shells represent the limbs. A cotton loin-cloth, a small bag carried under the arm, an iron-shod stick and small bells show that this is a representation of a male. These dolls are offered by the boys to their fiancees, who carry them either on the shoulder or clapsed on the back. They are a sign of affection and a promise. Ngoutchoumi, Tinguelin, present Fali. Height 25 cm.
9.   This young Ngoutchoumi woman is seated on a millstone of granite, originating from the ancient rampart of the village. These stones, which are still used and which occur in multitudes in the mountains, are for the greater part earlier than the Ngomna era. Some of them occurred in a period with an exclusively lithic instrustry, which may be identified as neolithic without any time indication. Fali of Ngoutchoumi, Tinguelin, 1968.
10.   Granite mill stones. These stones are recovered by the Fali and are still used by them to crush millet and peanuts. Several hundreds of them can be found in the mountains of Ngoutchoumi. According to oral tradition, they are said to have been made before the Fali had settled in this territory. Ngoutchoumi, Tinguelin.
11.   Music plays an extremely important role in the social and religious life of the Fali. Ceremonies and festivities are accompanied by instrumental and vocal music. Apart from the membraphones, comprising numerous varieties of whistles of wood, horn and bark; there are also harps with 5 strings, and horns, with the exception of instruments

with double tongue. On the left-hand side a wooden whistle „Kéwal", on the right-hand side flute of horn with 4 ventages „Tifigim". Fali of Ngoutchoumi, Tinguelin, 1968.

12. Until a recent era, the settlements of the Fali were decorated with numerous paintings with geometrical patterns, and, more rarely, with some figurative animal or anthropomorphous representations. The paints used, of vegetable and mineral origin, are black, white, red and brown haematite. Inside the hut of the chief of the Ngoutchoumi young people. Panther hunt. Fali of Ngoutchoumi, Tinguelin.

13. Some deserted settlements in the mountains of Ngoutchoumi. Ngoutchoumi, Tinguelin, 1970.

14. Old woman of Ngoutchoumi. Fali of Ngoutchoumi, Tinguelin, 1970.

15. Old man of Ngoutchoumi. Fali of Ngoutchoumi, Tinguelin, 1970.

16. The sacred mountain of Béri (Dolu Manu), Tinguelin, 1970.

17. Rupestral engravings. These patterns of enigmatic squares of a non-determined era may corespond to a game. Sacred mountain of Béri (Dolu Manu), Tinguelin, 1970.

18. The signs engraved in a recess of the sacred cave (Baitshi Manu), where religious instruments of the 18th century were kept, were interpreted as representations pertaining to the sexual life — which remains rather doubtful. These graffito's are comparable to certain engravings discovered in the North, in the Bidzar region. They are said to be of an earlier period than the Fali occupation. Sacred mountain of Béri (Dolu Manu), Tinguelin, 1968.

19. Heritage of a remote past; the young people have kept the habit of making statuettes as toys, which they present to the children. Some of them are painted in bright colours and sometimes decorated with beads and cowries. Fali of Ngoutchoumi, Tinguelin.

20. Little girl in the house of the chief of Ngoutchoumi. One can see the paintings of parts of the dwellings, which recall those of the loin-cloths of the men. Fali of Ngoutchoumi, Tinguelin, 1968.

21. Mother-panther and its young. Toys of the daughter of the chief of Ngoutchoumi. Ngoutchoumi, Tinguelin, present Fali. Width, from left to right, 16.6 and 24 cm.

22. Little play-horses. Lengths from left to right 14.5, 14.2, 17 and 14.3 cm. Ngoutchoumi, Tinguelin, present Fali.

23. „Mother-panther and its young". Toys of the daughter of the Ngoutchoumi chief. Lengths from left to right 16.6 and 24 cm. Ngoutchoumi, Tinguelin, present Fali.

24. Little wild boar, used as a toy. Length 11.6 cm. Ngoutchoumi, Tinguelin, present Fali.

25. Little votive lion, found in a child's tomb. Necropolis of the camp (Barki). Length 8.4 cm. Ngoutchoumi, Tinguelin, 18th century.

26. Little saddled horse. Toy originating from the children's necropolis of the camp (Barki). Length 15.1 cm. Ngoutchoumi, Tinguelin, 18th century.

27. Little votive monkey, found in a child's tomb (Barki). Height 8 cm. Ngoutchoumi,

Tinguelin, 18th century.

28. Fragment of a statuette, representing a panther, used as a toy. Lenght 7.5 cm. Mountains of Ngoutchoumi, Tinguelin, 19th century (?).

29. Toad, perhaps a toy. Length 11.5 cm. Kalla-Maloué (near Maltam), Sao, 13th or 14th century.

30. Ram, used as toy. Length 19 cm. Maroko (near Fort-Foureau), Sao, 13th or 14th century.

31. Hippopotamus, used as toy. Length 15.4 cm. Maroko (near Fort-Foureau), Sao, 13th or 14th century.

32. Crocodile, fitted with a hole for suspension. May be a religious object. Length 15.2 cm. Sou (near Makari), Sao, 13th or 14th century.

33. Gorilla. This representation and also the next ones how that the Sao had seen this animal, which now has entirely disappeared from these regions. Height 12.5 cm. Nameless mound (near Fort- Foureau), Sao 13th or 14th century.

34. Head of gorilla. Toy? Height 5.1 cm. Nameless mound (near Fort-Foureau), Sao, 13th or 14th century.

35. Enveloped in long strips of cotton, which formerly served as money, the head wrapped up in a goat skin, the deceased is ready to rejoin his forefathers, who, in the ,,underworld", have become the immortal Manu (,,nearer to God"). Fali of Ngoutchoumi, Tinguelin.

36. Funeral pottery, ,,Kinegu". Mountains of Ngoutchoumi, Tinguelin, present Fali. Height 28 cm.

37. Until early in the 18th century before the arrival of the Tshalo invaders, the Fali of Tinguelin buried their dead in large jars of earthenware, characteristic sepulchres of the Sao civilisation, the centre of which is situated more to the North in the region of Lake Chad. Necropolis of Dolu Koptu. Ngoutchoumi, Tinguelin, 17th—18th century.

38. The ancient sepulchres of the Fali are similar to the oldest Sao tombs, consisting of two opposite jars or of one single jar, generally covered by a conical lid. They contain one or more skeletons, sometimes accompanied by ornamental objects: necklaces of cornelean or glass paste, iron bracelets, and, more rarely, by one or two anthropomorphous statuettes. Interior of an urn of the Dolu Koptu necropolis. Ngoutchoumi, Tinguelin, 17th-18th century.

39. Pottery found in a funeral pit. Height 22.9 cm. Guébaké, Tinguelin, Woptshi culture, beginning of 19th century.

40. Cup for drink-offerings, having the shape of a calabash. Earthenware, slip-painted red. Height 10.3 cm. Sacred cave of Béri (Baitshi Manu). Sacred mountain of Béri (Dolu Manu), Tinguelin, Woptshi culture, end of 18th and beginning of 19th century.

41. Pottery of unrefined modelling (Ngomna type). Height 15.5 cm. Sacred mountain of Béri (Dolu Manu), Tinguelin, before 17th century.

42.   Cupric-lead bracelet. Toro funeral deposit (alien origin). One will notice the fine decoration of „cire perdue". More recent replica of such bracelets frequently occur, but they are of much inferior workmanship. Height 7.7 cm. Toro, Tinguelin, before 18th century.

43.   Ritual statuettes in honour of the birth of a child. „Ham bomju". The costume and the ornaments are painted on the male statuette. The white dots „Punu" on the female statuette denote the sacred nature of the child, who was a girl in this particulier case. Height from left to right 21.7 and 21.8 cm. Ngoutchoumi, Tinguelin, present Fali.

44.   This remarkable male statuette „bobine type" is the extreme result of the tendency to stylisation, which has manifested itself in the Fali art from its outset, Height 9.8 cm. Mountains of Ngoutchoumi, Tinguelin, towards 1820—1850.

45.   Necklace of glass paste. Isolated sepulchre in the mountains of Ngoutchoumi. Beads of European origin. Ngoutchoumi, Tinguelin, 18th century?

46.   Bi-sexual statuette on pseudo-pedestal, found in the ramparts at Hou. Possibly the representation of a forefather or a protective genius. Height 12.2 cm. Hou, Tinguelin, end of 18th century.

47.   Statuette of undefined sex. The hairdress is indicated by carved dots, the navel by a circle of dots. Height 14.7 cm. Hou, Tinguelin, beginning of 18th century.

48.   Anthropomorphous statuette, originating from an ancient sepulchre at Hou. The features of the face have not been shown. The large slit, occupying the centre of the chest, is the aperture through which the breath of life enters and leaves. Hou, Tinguelin, 17th century. Height 16.4 cm.

49.   Female statuette. Hou tradition. Necropolis of Dolu Koptu, Height 11.9 cm. Ngoutchoumi, Tinguelin, end of 18th century.

50.   Female statuette with oblong head. Height 14.8 cm. Mountains of Ngoutchoumi, Tinguelin, end of 18th century.

51.   Representation of a human being of undefined sex. One will notice the presence of a heavy necklace, possibly comparable to the bronze necklaces of the Sao, discovered at Sou. Height 17.3 cm. Hou, Tinguelin, end of 18th century.

52.   These two statuettes found in the Dolu Tibinta necropolis are of great importance. Whereas all the human representations of this period are undressed, it would seem that these are draped in a kind of mantle or levite with a rather stiff collar. Height from left to right 14.5 and 14.7 cm. Ngoutchoumi, Tinguelin, 18th century.

53.   Statuette of undefined sex. Height 15.4 cm. Hou, Tinguelin, end of 17th and beginning of 18th century.

54.   Funeral statuette. Isolated tomb at Hou. The face has not been worked, the „vital hole" is lacking and the hairdress of inlaid globes has disappeared. Owing to its form, this figurine is comparable to the Waza style. Height 18.5 cm. Hou, Tinguelin, end of 17th century.

55. Fragment of a funeral statuette, found in an isolated sepulchre at Hou. The face has been indicated; one will notice the opened mouth and also the presence of a long plug or twig in the lower lip. Height 14.7 cm. Hou, Tinguelin, 17th century.

56. Male statuette. Hou (Dolu Pemgu). The lips are represented in very prominent relief. Height 20.2 cm. Hou, Tinguelin, 17th century.

57. Female funeral statuette at Waza. „Site of the house of the President". The importance of this statuette is mainly based on the presence of the hairdress, consisting of „globes" of the Fali type. This figurine, found not far from a funeral urn, already no longer belongs to the Sao civilisation. Height 20.9 cm. Waza, transition era Sao-Fali, end of 16th, beginning of 17th century.

58. This remarkable statuette of earthenware is a toy, but it is also the profane replica of an ancient religious statuette, comparable to Figure 57, originating from Waza. Height 26.8 cm. Ngoutchoumi, Tinguelin, present Fali.

59. Male funeral statuette of Waza „Site of the house of the President". As in Figure 57, one will notice the pained expression of the face, which is of an expressive stylisation and also the presence of the hairdress, consisting of „globes", characteristic of the Fali culture. Height 19.3 cm. Waza, transition era Sao-Fali. End of 16th or beginning of 17th century.

60. This statuette of the „Site of the house of the President" is certainly one of the most important archaeological pieces of the northern Cameroons. The face and the general shape of a truncated cone, are the replica of the archaic Sao statuettes, but the hairdress of „globes" already belongs to the Fali culture. Height 16.7 cm. Waza, transition era Sao-Fali, end of 16th, beginning of 17th century.

61. Confinement. This figurine of the „Site of the house of the President" contains two human representations, one male and one female. As mother-goddess, she should display the rite of fecundity, traces of which are at present found with the Fali. One will notice the resemblance to the representations of the twins on the next statuette, found at Ngoutchoumi. Height of the mother figure 17.3 cm, height of the children 4.1 cm. Waza, transition era Sao-Fali, end of 16th, beginning of 17th century.

62. Male statuette. Height 11 cm. Mountains of Ngoutchoumi, Tinguelin, first half of 19th century.

63. Funeral deposit of the necropolis at Dolu Koptu. This deposit was situated in the southern part of the necropolis, protected by a lid of a funeral urn. The four statuettes surround a cupel, containing a large bead of glass paste and also a pebble of quartz. Height from left to right 15.5, 16.3, 19.6, 14.7 cm. Ngoutchoumi, Tinguelin, first half of 18th century.

64. Sao funeral urn with its contents. Excavation of Mr. Bouyer. Kousseri, Sao, 13th or 14th century.

65. Mask of a sacred forefather. These masks were generally deposited in potteries in the

shape of a cupel. They could possibly represent the forefathers of a clan or a lineage, because they are often grouped together in a restricted space. Very stylized at first, they will henceforth become more pictorial and will result, in the final period, in true portraits. Height 8.9 cm. Maroko (near Fort Foureau), Sao, archaic period, 11th or 12th century.

66.   Mask of a forefather. The nose is lost in what may be hair locks, such as still worn by the Fali. Height 15.3 cm. Maroko (near Fort-Foureau), Sao, 12th or 13th century.

67.   Mask with three horns. Representation of a sacred forefather. The beard is represented by an impressed decoration. The upper lip is pierced by a plug. Height 26 cm. Kalla-Maloué (near Maltam), Sao, 13th or 14th century.

68.   Representation half-human, half-animal of a sacred forefather. One will notice the presence of a plug in the lower lip and also in the upper lip. Height 18 cm. Fort-Foureau, Sao, towards the 12th century.

69.   Representation of a forefather. The denticulated contour may represent an ornament. Height 18.9 cm. Kalla-Maloué (near Maltam), Sao, towards the 14th or 15th century.

70.   Mask with denticulated contour. The nose has not been prolonged towards the front. The beard is represented by deep, parallel incisions. Height 14 cm. Nameless mound (near Fort-Foureau), Sao, 13th or 14th century.

71.   Head decorated with cut-in chevrons, possibly representing facial tattoo. Height 11.4 cm. Kalla-Maloué (near Maltam), Sao, 14th or 15th century.

72.   Funeral pole. Within the Ban Tshalo clan, the Fali had the habit of erecting, one month after the death of a lineage chief, at the site of his dwelling, doomed to become a ruin, a sculptured and painted figurine, representing him. These wooden poles, which were rapidly destroyed by termites, are extremely rare. This is the only piece still existing, representing the father of the chief of Ngoutchoumi, which may be compared with his photograph. Height of the head 21 cm. Ngoutchoumi, Tinguelin, present Fali.

73.   Father of the chief of Ngoutchoumi. Fali of Ngoutchoumi, Tinguelin, 1960.

74.   Statuette of archaic type on pedestal. The head is crowned by a kind of hair knot. The decoration at the lower part may represent an article of dress. Height 17.2 cm. Nameless mound (near Fort-Foureau), Sao, towards the 12th or 13th century.

75.   Human representation, used as a toy. Height 17.7 cm. Ngoutchoumi, Tinguelin, present Fali.

76.   Statuette of a forefather. Height 23.2 cm. Maroko (near Fort-Foureau), Sao, 12th or 13th century.

77.   Female representation, used as a toy. Height 12.1 cm. Ngoutchoumi, Tinguelin, present Fali.

78.   Statuette of a deified forefather or important personality. Notice should be taken of the hairdress with three horns, the beard also divided into three parts, the heavy necklace with its remarkable bifid pendant, the bracelet and also of the chest ornament, con-

sisting of two crossed strands. This statuette is comparable to those found by J. P. Lebeuf in the Tago sanctuary (Chad). Some traces of a paint coating or slip painting are still visible. Height 27.3 cm. Kalla-Maloué (near Maltam), Sao, classical period, 13th or 14th century.

79. Male statue. Like the previous one, this statue is absolutely comparable to those discovered at Tago. The hairdress is represented by cut-in chevrons and grouped together in a kind of hair knot in the occipital region. The necklace has one or two pendants. The waist line is indicated by pellets. The „cache-sexe" of trapezoidal shape, is decorated with parallel incisions in chevron pattern (embroidery?). The ankles are locked in large bracelets, which are ball- or bell-shaped. Height 31.5 cm. Kalla-Małoué (near Maltam), Sao, 13th or 14th century.

80. Head of an aged man. Height 19 cm. Afadé, Sao, era of alien influences, 15th or 16th century.

81. Aged men. Fali of Ngoutchoumi, Tinguelin, 1968.

82. „The little soldier". This statuette may be considered to represent one of the greatest master-pieces of Sao art. The face, of a striking realism, has a sorrowful, gloomy expression, accentuating the delicacy of the features. This is probably the representation of a woman. The presence of a double lipplug and the short skirt (doubtless plant fibres) support this hypothesis. Height 24.3 cm. Amsabang, Sao, 15th or 16th century.

83. Head of the „little soldier". Not any work of art of the Sao equalizes this perfection of expression. The artist, though adhering, in general line, to the conventional art, has, it would seem, intended to create a true likeness, which may be asserted to have been preserved in death. Height of the head 7.5 cm. Amsabang, Sao, 15th or 16th century.

84. Head of a man. The features of the face and the hair style manifest the Peul type. The main features of the Sao art become blurred. The resemblance to the model is affirmed. Height 11.5 cm. Sou (near Makari), Sao, era of alien influences, end of 15th or beginning of 16th century.

85. Head of a woman. Stopper on an amphora, as the previous example. This delicate work of art is the most ancient representation of the Peul type in this part of Africa. The crest-shaped hairdress is perfectly characteristic. Height 16.3 cm. Afadé, Sao, era of alien influences, 15th or 16th century.

86. Head of a woman? Afadé, Sao, era of alien influences, 15th or 16th century.

87. Head of a woman. Like the previous head, this figurine served as stopper for a vase with a high neck. The hair style recalls that of certain groups of Choa in the Chad region. Height 8.7 cm. Djajakaya, Sao, era of alien influences, 15th or beginning of 16th century.

88. Head. The hair has not been indicated. Afadé, Sao, 15th century.

89. „Cache-sexe" of bronze of little girl. Sou (near Makari), Sao, 13th or 14th century. Width: 16 cm.

90. Stopper for an amphora. Height 13.7 cm. Sou (near Makari), Sao, era of alien influences, 15th or 16th century.

91. Pins with heads of rams. Bronze. Afadé and Sou, Sao.

92. Small ducks of bronze. Jewels. Maladi and Maltam, Sao.

93. Pot of hammered bronze. Ritual object? Kousserie, Sao, 16th century?

94. The evolution of statuettes and tombs from the archaic Sao period until the present Fali. The only objective of the classification presented is to show the evolution of Sao art and burial custom by indicating the possible connections with the ancient culture of the modern Fali. The lower part of the table is therefore only valid in the Waza and Fali regions.

Liste des illustrations

variétés de sifflets de bois, de corne et d'écorce, la harpe à cinq cordes, des trompes, à l'exclusion des instruments à anche double. A gauche sifflet de bois „Kéwal", à droite flûte en corne à quatre trous „Tifigim". Fali de Ngoutchoumi, Tinguelin, 1968.

12. Les habitations des Fali étaient ornées jusqu'à une époque récente de nombreuses peintures à décor géométrique avec plus rarement quelques représentations figuratives animalières ou anthropomorphes. Les couleurs utilisées, d'origine végétale et minérale, sont le noir, le blanc, le rouge, et l'ocre jaune. Intérieur de la case du Chef des jeunes gens de Ngoutchoumi. Chasse à la panthère. Fali de Ngoutchoumi, Tinguelin.

13. Quelques habitations désertes sur la montagne de Ngoutchoumi. Ngoutchoumi, Tinguelin, 1970.

14. Vieille femme de Ngoutchoumi. Fali de Ngoutchoumi, Tinguelin, 1970.

15. Vieil homme de Ngoutchoumi. Fali de Ngoutchoumi, Tinguelin, 1970.

16. La montagne sacrée de Béri (Dolu Manu), Tinguelin, 1970.

17. Gravures rupestres. Ces quadrillages énigmatiques d'époque indéterminée correspondent peut-être à un jeu. Montagne sacrée de Béri (Dolu Manu), Tinguelin, 1970.

18. Les signes gravés dans un diverticule de la caverne sacrée (Baitshi Manu) où étaient conservés des instruments cultuels du 18ème siècle, ont été interprétés comme des représentations sexuelles — ce qui demeure assez douteux. Ces graffiti sont à rapprocher de certaines gravures découvertes plus au Nord dans la région de Bidzar. Ils seraient antérieurs à l'occupation Fali. Montagne sacrée de Béri (Dolu Manu), Tinguelin, 1968.

19. Héritage d'un lointain passé, les jeunes gens ont conversé l'habitude de fabriquer des statuettes-jouets, qu'ils offrent aux enfants. Quelques-unes sont peintes de couleurs vives, parfois ornées de perles et de cauris. Fali de Ngoutchoumi, Tinguelin.

20. Une petite fille dans la maison du Chef de Ngoutchoumi. On observe les motifs peints des éléments d'habitation qui rappellent ceux des pagnes d'hommes. Fali de Ngoutchoumi, Tinguelin, 1968.

21. Mère panthère et son petit. Jouets de la fille du Chef de Ngoutchoumi. Ngoutchoumi, Tinguelin, Fali-actuel. De gauche à droite, largeur: 16.6 et 24 cm.

22. Petits chevaux-jouets. De gauche à droite longueur 14.5, 14.2, 17.0 et 14.3 cm. Ngoutchoumi, Tinguelin, Fali-actuel.

23. „Mère panthère et son petit". Jouets de la fille du chef de Ngoutchoumi. De gauche à droite longueur 16.6 et 24 cm. Ngoutchoumi, Tinguelin, Fali-actuel.

24. Petit phacochère-jouet. Longueur 11.6 cm. Ngoutchoumi, Tinguelin, Fali-actuel.

25. Petit lion votif, trouvé dans une tombe d'enfant. Nécropole du campement (Barki). Longueur 8.4 cm. Ngoutchoumi, Tinguelin, 18ème siècle.

26. Petit cheval sellé. Jouet provenant de la nécropole d'enfants du campement (Barki). Longueur 15.1 cm. Ngoutchoumi, Tinguelin, 18ème siècle.

27. Petit singe votif, trouvé dans une tombe d'enfant (Barki). Hauteur 8 cm. Ngoutchoumi, Tinguelin, 18ème siècle.

28

28. Fragment d'une statuette représentant une panthère-jouet. Longueur 7.5 cm. Montagne de Ngoutchoumi, Tinguelin, 19ème siècle(?).

29. Crapeau, peut-être un jouet. Longueur 11.5 cm. Kalla-Maloué (près de Maltam), Saô, 13ème ou 14ème siècle.

30. Bélier-jouet. Longueur 19 cm. Maroko (près de Fort-Foureau), Saô, 13ème ou 14ème siècle.

31. Hippopotame-jouet. Longueur 15.4 cm. Maroko (près de Fort-Foureau), Saô, 13ème ou 14ème siècle.

32. Crocodile. Il est muni d'un trou de suspension. Peut-être objet cultuel. Longueur 15.2 cm. Sou (près de Makari), Saô, 13ème ou 14ème siècle.

33. Gorille. Cette représentation, comme la suivante prouve que les Saô avaient vu cet animal qui a complètement disparu de ces régions. Hauteur 12.5 cm. Butte-sans-Nom (près de Fort-Foureau), Saô, 13ème ou 14ème siècle.

34. Tête de gorille. Jouet? Hauteur 5.1 cm. Butte-sans-Nom (près de Fort-Foureau), Saô, 13ème ou 14ème siècle.

35. Enveloppé dans de longues bandes de coton qui jadis servaient de monnaie, la tête cousue dans une peau de chèvre, le mort est prêt à rejoindre ses ancêtres, qui dans les „enfers" sont devenus les Manu immortels „plus prés de Dieu". Fali de Ngoutchoumi, Tinguelin.

36. Poterie funéraire „Kinegu". Montagne de Ngoutchoumi, Tinguelin, Fali-actuel. Hauteur: 28 cm.

37. Jusqu'au début du 18ème siècle avant l'arrivée des envahisseurs Tshalo, les Fali du Tinguelin enterraient leurs morts dans de grandes jarres en terre cuite, sépultures caractéristiques de la civilisation Saô dont le foyer se situe plus au Nord dans la région du lac Tchad. Nécropole du Dolu Koptu. Ngoutchoumi, Tinguelin, 17ème—18ème siècle.

38. Les sépultures anciennes des Fali sont semblables aux tombes saô constituées par deux jarres opposées bord-à-bord — les plus anciennes — ou par une seule jarre fermée par un couvercle de forme conique en général. Elles contiennent un ou plusieurs squelettes qu'accompagnent parfois des éléments de parure: colliers en cornaline ou en pâte de verre, bracelets de fer et plus rarement une ou deux statuettes anthropomorphes. Intérieur d'une urne de la nécropole du Dolu Koptu. Ngoutchoumi, Tinguelin, 17ème et 18ème siècle.

39. Poterie trouvée dans un puit funéraire. Hauteur 22.9 cm. Guébaké, Tinguelin, Culture Woptshi, début du 19ème siècle.

40. Coupe à libation en forme de calebasse. Terre cuite à engobe rouge. Hauteur 10.3 cm. Caverne sacrée de Béri (Baitshi Manu). Montagne sacrée de Béri (Dolu Manu), Tinguelin, culture Wopthsi, fin du 18ème, début du 19ème siècle.

41. Poterie grossière (modelage de type Ngomna). Hauteur 15.5 cm. Montagne sacrée de Béri (Dolu Manu), Tinguelin, antérieur au 17ème siècle.

42. Bracelet en cupro-plomb. Depôt funéraire Toro (origine étrangère). On remarque la finesse du décor à la cire perdue. Des répliques plus récentes de tels bracelets sont fréquentes mais d'une facture très inférieure. Hauteur 7.7 cm. Toro, Tinguelin, antérieur au 18ème siècle.

43. Statuettes rituelles pour la naissance d'un enfant. „Ham bomju". Le costume et les parures sont figurés sur la statuette masculine. Les points blancs „Punu" sur la statuette féminine dénotent le caractère sacré de l'enfant, qui était une fille dans ce cas particulier. De gauche à droite hauteur 21.7 et 21.8 cm. Ngoutchoumi, Tinguelin, Fali-actuel.

44. Cette curieuse statuette masculine „type bobine" est l'aboutissement extrême de la tendance à la stylisation qui se manifeste dans l'art fali dès ses origines. Hauteur 9.8 cm. Montagne de Ngoutchoumi, Tinguelin, vers 1820—1850.

45. Collier en pâte de verre. Sépulture isolée de la montagne de Ngoutchoumi. Perles d'origine européenne. Ngoutchoumi, Tinguelin, 18ème siècle?

46. Statuette bisexuée à pseudo-socle trouvée dans les remparts de Hou. Peut-être représentation d'un ancêtre ou d'un génie protecteur. Hauteur 12.2 cm. Hou, Tinguelin, fin 18ème siècle.

47. Statuette asexuée. La chevelure est indiquée par des ponctuations en creux, le nombril par un cercle de points. Hauteur 14.7 cm. Hou, Tinguelin, début 18ème siècle.

48. Statuette anthropomorphe provenant d'une sépulture ancienne de Hou. Les traits du visage ne sont pas indiqués. La large fente qui occupe le centre de la poitrine est l'ouverture par laquelle entre et sort le souffle de vie. Hou, Tinguelin, 17ème siècle. Hauteur: 16.4 cm.

49. Statuette féminine. Tradition de Hou. Nécropole de Dolu Koptu. Hauteur 11.9 cm. Ngoutchoumi, Tinguelin, fin du 18ème siècle.

50. Statuette féminine à tête allongée. Hauteur 14.8 cm. Montagne de Ngoutchoumi, Tinguelin, fin 18ème siècle.

51. Représentation humaine asexuée. On notera la présence d'un lourd collier, peut-être à rapprocher des colliers de bronze Saô découverts à Sou. Hauteur 17.3 cm. Hou, Tinguelin, fin 18ème siècle.

52. Ces deux statuettes trouvées dans la nécropole Dolu Tibinta présentent un grand intérêt. Alors que toutes les représentations humaines contemporaines de cette période sont nues, il semble que celles-ci soient vêtues d'une sorte de manteau ou de lévite, muni d'un col assez rigide. De gauche à droite hauteur 14.5 et 14.7 cm. Ngoutchoumi, Tinguelin, 18ème siècle.

53. Statuette asexuée. Hauteur 15.4 cm. Hou, Tinguelin, fin 17ème, début 18ème siècle.

54. Statuette funéraire. Tombe isolée de Hou. Le visage n'est pas traité, l'ouverture vitale manque et la chevelure en boulettes rapportées a disparu. Par son modelé cette figurine se rapproche du style de Waza. Hauteur 18.5 cm. Hou, Tinguelin, fin 17ème siècle.

55. Fragment de statuette funéraire trouvée dans une sépulture isolée de Hou. Le visa-

ge est indiqué; on notera la bouche ouverte, ainsi que la présence d'un labret long ou d'une tige dans la lèvre inférieure. Hauteur 14.7 cm. Hou, Tinguelin, 17ème siècle.

56. Statuette masculine. Hou (Dolu Pemgu). Les lèvres sont figurées par un relief très saillant. Hauteur 20.2 cm. Hou, Tinguelin, 17ème siècle.

57. Statuette funéraire féminine de Waza. „Gisement de la case du Président". L'intérêt de cette statuette réside surtout dans la présence de la chevelure en „boulette" de type Fali. Cette figurine trouvée non loin d'une urne funéraire n'appartient déjà plus à la culture Saô. Hauteur 20.9 cm. Waza, époque de transition Saô-Fali, fin 16ème, début 17ème siècle.

58. Cette curieuse statuette en terre cuite est un jouet, mais elle est la réplique profane d'une statuette cultuelle ancienne à rapprocher de la Figure 57 en provenance de Waza. Hauteur 26.8 cm. Ngoutchoumi, Tinguelin, Fali-actuel.

59. Statuette funéraire masculine de Waza. „Gisement de la case du Président". Comme sur Figure 57 on remarquera l'expression douloureuse du visage d'une stylisation expressive, ainsi que la présence de la chevelure „en boulettes", caractéristique de la culture Fali. Hauteur 19.3 cm. Waza, époque de transition Saô-Fali, fin du 16ème ou début du 17ème siècle.

60. Cette statuette du „Gisement de la case du Président" est sans doute actuellement l'une des pièces capitales de l'archéologie du Nord-cameroun. Le visage, la forme générale tron-conique sont la réplique de statuettes saô archaïques, mais la présence d'une chevelure „en boulettes" appartient déjà à la culture fali. Hauteur 16.7 cm. Waza, époque de transition Saô-Fali, fin 16ème, début 17ème siècle.

61. Accouchement. Cette figurine creuse du „Gisement de la case du Président" contient deux représentations humaines masculine et féminine. Déesse-mère elle devait relever du rite de fécondité dont on retrouve actuellement la trace chez les Fali. On remarquera la ressemblance des figurations des jumeaux avec la statuette suivante, trouvée à Ngoutchoumi. Hauteur mère 17.3 cm., hauteur enfants 4.1 cm. Waza, époque de transition Saô-Fali, fin 16ème, début 17ème siècle.

62. Statuette masculine. Hauteur 11 cm. Montagne de Ngoutchoumi, Tinguelin, première moitié du 19ème siècle.

63. Depôt funéraire de la nécropole de Dolu Koptu. Ce depôt était situé dans la partie sud de la nécropole, protégé par un couvercle d'urne funéraire. Les quatre statuettes encadrent une coupelle contenant une grosse perle en pâte de verre ainsi qu'un galet de quartz. De gauche à droite hauteur 15.5, 16.3, 19.6, et 14.7 cm. Ngouchoumi, Tinguelin, première moitié du 18ème siècle.

64. Urne funéraire saô avec son contenu, fouilles Bouyer. Kousseri, Saô, 13ème ou 14-ème siècle.

65. Masque d'ancêtre sacralisé. Ces masques étaient généralement déposés dans des poteries en forme de coupe. Ils pourraient peut-être représenter les ancêtres d'un clan ou

d'un lignage, car ils sont souvent groupés sur un espace restreint. Très stylisés ils deviendront par la suite plus figuratifs et aboutiront dans la période finale à de véritables portraits. Hauteur 8.9 cm. Maroko (près de Fort-Foureau), Saô, époque archaïque, 11ème ou 12ème siècle.

66. Masque d'ancêtre. Le nez est confondu avec ce qui peut être une mèche de cheveux comme en portent encore actuellement les Fali. Hauteur 15.3 cm. Maroko (près de Fort-Foureau), Saô, 12ème ou 13ème siècle.

67. Masque à trois cornes. Figuration d'ancêtre sacralisé. La barbe est figurée par un décor en impression. La lèvre supérieure est traversée par un labret. Hauteur 26 cm. Kalla-Maloué (près de Maltam), Saô, 13ème ou 14éme siècle.

68. Représentation mi-humaine mi-animale d'un ancêtre sacralisé. On note la présence d'un labret dans la lèvre inférieure ainsi que dans la lèvre supérieure. Hauteur 18 cm. Fort-Foureau, Saô, vers le 12ème siècle.

69. Représentation d'ancêtre. Le pourtour denticulé peut représenter une parure. Hauteur 18.9 cm. Kalla-Maloué (près de Maltam), Saô, vers le 14ème ou 15ème siècle.

70. Masque à pourtour denticulé. Le nez ne possède plus de prolongement frontal. La barbe est figurée par de profondes incisions parallèles. Hauteur 14cm. Butte-sans-Nom (près de Fort-Foureau). Saô, 13éme ou 14ème siècle.

71. Tête décorée de chevrons incisés qui représentent peut-être des scarifications faciales. Hauteur 11.4 cm. Kalla-Maloué (près de Malam), Saô, 14ème ou 15ème siècle.

72. Mât funéraire. Dans la tribu Ban Tshalo, Les Fali avaient coutume un mois après la mort d'un chef de lignage, de planter sur l'emplacement de son habitation condamnée à la ruine, une figuration sculptée et peinte le représentant. Ces mâts en bois rapidement détruits par les termites sont extrêmement rares. Il s'agit là d'une pièce unique représentant le père du chef de Ngoutchoumi, que l'on peut comparer avec sa photographie. Hauteur tête 21 cm. Ngoutchoumi, Tinguelin, Fali-actuel.

73. Père du chef de Ngoutchoumi. Fali de Ngoutchoumi, Tinguelin, 1960.

74. Statuette de type archaïque à socle. La tête est surmontée d'une sorte de chignon. Le décor de la partie inférieure peut représenter un vêtement. Hauteur 17.2 cm. Butte-sans-Nom (près de Fort-Foureau), Saô, vers le 12ème ou 13ème siècle.

75. Représentation humaine, jouet. Hauteur 17.7 cm. Ngoutchoumi, Tinguelin, Fali-actuel.

76. Statuette d'ancêtre. Hauteur 23.2 cm. Maroko (près de Fort-Foureau), Saô, 12ème ou 13ème siècle.

77. Représentation féminine, jouet. Hauteur 12.1 cm. Ngoutchoumi, Tinguelin, Fali-actuel.

78. Statue „d'ancêtre divinisé" ou de personnage important. Il convient d'observer la coiffure à trois cornes, la barbe séparée également en trois parties, le lourd collier avec son curieux pendentif bifide, le bracelet ainsi que la parure pectorale constituée par deux

brins croisés. Cette statue est comparable à celles trouvées par J. P. Lebeuf dans le sanctuaire de Tago (Tchad). Quelques traces d'enduit de peinture ou d'engobe sont encore visibles. Hauteur 27.3 cm. Kalla-Maloué (près de Maltam), Saô, période classique, 13ème ou 14ème siècle.

79.   Statue masculine. Comme la précedente cette statue est absolument comparable à celles découvertes à Tago. La chevelure figurée par des chevrons incisés est groupée en une sorte de chignon dans la région occipitale. Le collier porte un ou deux pendentifs. La ceinture est indiquée par des pastilles en relief. Le cache-sexe, de forme trapézoïdale, est orné d'incisions parallèles en chevrons (broderies?). Les chevilles sont enserrées dans de gros bracelets à boule ou à grelot. Hauteur 31.5 cm. Kalla-Maloué (près de Malam), Saô, 13ème ou 14ème siècle.

80.   Tête de vieillard. Hauteur 19 cm. Afadé, Saô, époque des influences étrangères, 15ème ou 16ème siècle.

81.   Vieillards. Fali de Ngoutchoumi, Tinguelin, 1968.

82.   „Le petit guerrier". Cette statuette peutêtre considérée comme l'une des plus grandes chefs d'oeuvre de l'art saô. Le visage d'un réalisme saisissant a une expression douloureuse, funèbre même, que l'extrême finesse des traits rend encore plus sensible. Il s'agit vraisemblablement d'une figuration féminine. La présence d'un double labret, le court jupon (sans doute en fibres végétales) plaident en faveur de cette hypothèse. Hauteur 24.3 cm. Amsabang, Saô, 15ème ou 16ème siècle.

83.   Tête de „petit guerrier". Aucune oeuvre d'art saô actuellement connue n'atteint cette perfection dans l'expression. L'artiste en demeurant fidèle dans les grandes lignes à l'art conventionnel a, semble-t-il, voulu réaliser un véritable portrait que l'on dirait figé dans la mort. Hauteur de la tête 7.5 cm. Amsabang, Saô, 15ème ou 16ème siècle.

84.   Tête d'homme. Les traits du visage et la coiffure évoquent le type Peul. Les caractères essentiels de l'art Saô s'estompent. La ressemblance avec le modèle s'affirme. Hauteur 11.5 cm. Sou (près de Makari), Saô, époque des influences étrangères, fin 15ème ou début 16ème siècle.

85.   Tête de femme. Bouchon d'amphore. Comme la précédente cette délicate oeuvre d'art est la plus ancienne représentation du type Peul dans cette partie de l'Afrique. La coiffure en cimier est tout à fait caractéristique. Hauteur 16.3 cm. Afadé, Saô, époque des influences étrangères, 15ème ou 16ème siècle.

86.   Tête de femme? Afadé, Saô, époque des influences étrangères, 15ème ou 16ème siècle.

87.   Tête de femme. Comme la tête précédente cette figurine servait de bouchon pour un vase à col haut. La coiffure en bandeau et nattes rappelle celle de certaines groupes Choa du Tchad. Hauteur 8.7 cm. Djajakaya, Saô, époque des influences étrangères, 15ème ou début 16ème siècle.

88.   Tête. La chevelure n'est pas indiquée. (Afadé), Saô, 15ème siècle.

89. Cache-sexe de fillette en bronze. Sou (près de Makari), Saô, 13ème ou 14ème siècle. Largeur: 16 cm.

90. Bouchon d'amphora. Hauteur 13.7 cm. Sou (près de Makari), Saô, époque des influences étrangères, 15ème ou 16ème siècle.

91. Agrafes à têtes de belier. Bronze. Afadé et Sou, Saô.

92. Petits canards de bronze. Bijoux. Maltam et Maladi, Saô.

93. Marmite en bronze martelé. Objet rituel. Kousserie, Saô, 16ème siècle?

94. Evolution des statuettes et des tombes de la période Saô archaïque aux Fali actuels. Cette tentative de classification n'a d'autre ambition que de montrer l'évolution de l'art saô, ainsi que du mode de sépulture en les rattachant à la culture fali ancienne actuelle. La partie inférieure du tableau n'a donc de valeur que dans l'aire géographique de Waza et celle des territoires Fali.

Bibliography / Bibliographie

David, N., 'Reconnaissance in Cameroun', *West African Archaeological Newsletter,* 10 (1968), 24—26.

Fagan, B. M., 'Radiocarbon dates for Sub-Saharan Africa, VI', *Journal of African History* (London), 10 (1) (1969), 149—169.

Gauthier, J.-G., *Une population traditionnelle du Nord-Cameroun: les Fali,* Bordeaux, Inst. Pédagogique Nat. CRDP, 1963.

Gauthier, J.-G., *Archéologie du Massif du Tinguelin,* Bordeaux, Centr. Univ. Polycopiage, 1964.

Gauthier, J.-G., *Les Fali de Ngoutchoumi: montagnards du Nord-Cameroun,* Oosterhout, Anthropological Publications, 1969.

Griaule, M., *Les Saô légendaires,* Paris, Gallimard, 1943.

Griaule, M., et J.-P. Lebeuf, 'Fouilles dans la région du Tchad, I, II, III', *J. Soc. Africanistes* (Paris), 18 (1948), 1—116; 20 (1950), 1—151; 21 (1951), 1—95.

Lebeuf, J.-P., 'Bibliographie Saô-Kotoko', *Etudes camérounaises* (Douala), 21—22 (1948), 121—137.

Lebeuf, J.-P., *L'habitation des Fali, montagnards du Cameroun septentrional,* Paris, Hachette, 1960.

Lebeuf, J.-P., *Archéologie tchadienne: les Saô du Cameroun et du Tchad,* Paris, Herman, 1962.

Lebeuf, J.-P. et A. Masson Détourbet, 'Le site de Tago (Tchad)', *Préhistoire* (Paris), 11 (1950), 143—192.

Lebeuf, J.-P. et A. Masson Détourbet, *La civilisation du Tchad,* Paris, Payot, 1950.

Lembezat, B., *Les populations paiennes du Nord-Cameroun et de l'Adamaoua,* Paris, Presses Universitaires de France, 1961.

Pales, L., 'Découverte d'un important gisement préhistorique à Fort-Lamy (Tchad)', *J. Soc. Africanistes (Paris),* 7 (1937), 125—172.

Wulsin, F. R., 'An archaeological reconnaissance of the Shari Basin', *Harvard African Studies,* 10 (1932) III—XI, 1—188.

Les objets se trouvent dans les collections suivantes.
The objects are part of the following collections.

Collection J.-G. Gauthier, Université de Bordeaux, Section d'Ethnographie.
22 - 23 - 25 - 26 - 27 - 28 - 39 - 40 - 41 - 42 - 43 - 44 - 46 - 47 - 49 - 50 - 51 - 52 - 53 - 54 - 55 - 56 - 58 - 62 - 63 - 72.
Collection E. Boyer, Musée d'Histoire Naturelle de La Rochelle.
29 - 30 - 31 - 32 - 33 - 34 - 57 - 59 - 60 - 61 - 65 - 66 - 67 - 68 - 69 - 70 - 71 - 74 - 76 - 78 - 79 - 80 - 82 - 83 - 84 - 85 - 86 - 87 - 88 - 90 - 91 - 92 - 93.
Collection Instituut voor Antropobiologie, Rijksuniversiteit, Utrecht.
24 - 75 - 77.

Origine des illustrations.
Les photographies 4 - 10 - 12 - 18 - 19 - 35 - 38 - 45 - 48 - 73 sont de J.-G. Gauthier, 64 - 80 - 86 - 88 - 91 - 92 - 93 sont de la Musée d'Histoire Naturelle de La Rochelle et toutes les autres photographies sont de G. Jansen, photographe de l'Instituut voor Antropobiologie, Utrecht.

Origin of illustrations.
Photographs 4 - 10 - 12 - 18 - 19 - 35 - 38 - 45 - 48 - 73 are made by J.-G. Gauthier, 64 - 80 - 86 - 88 - 91 - 92 - 93 by the Musée d'Histoire Naturelle at La Rochelle, and all the other photographs by G. Jansen, photographer at the Instituut voor Antropobiologie, Utrecht.

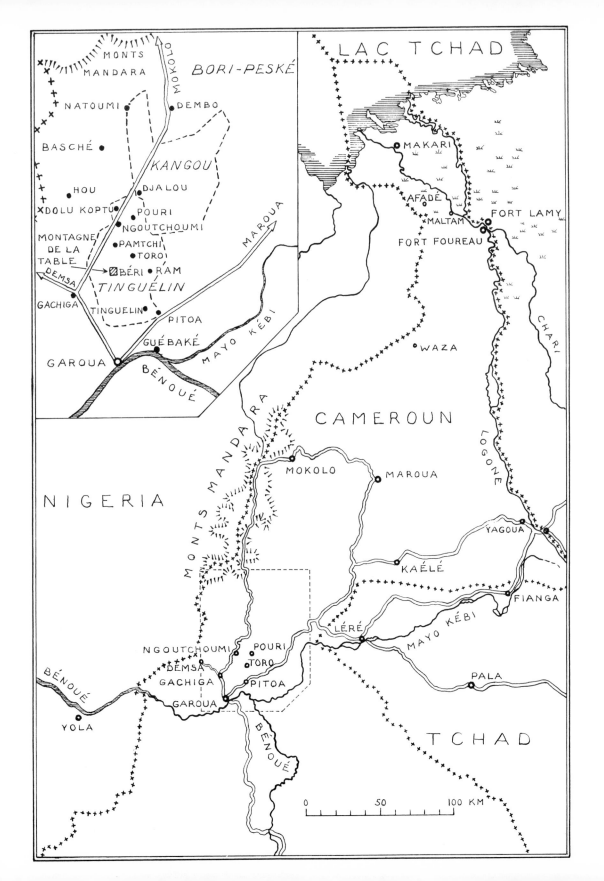

LAC TCHAD

BORI-PESKÉ

MONTS
MANDARA

NATOUMI

BASCHÉ

KANGOU

HOU

DOLU KOPTU

DJALOU

POURI

NGOUTCHOUMI

MONTAGNE
DE LA
TABLE

PAMTCHI
TORO

BÉRI · RAM

DEMSA

TINGUÉLIN

GACHIGA

TINGUELIN

PITOA

GUÉBAKÉ

GAROUA

BÉNOUÉ

MAYO KÉBI

MOKOLO

MAROUA

DEMBO

MAKARI

AFADÉ

MALTAM

FORT LAMY

FORT FOUREAU

CHARI

WAZA

CAMEROUN

NIGERIA

MONTS MANDARA

LOGONE

YAGOUA

KAÉLÉ

FIANGA

LÉRÉ

MAYO KÉBI

NGOUTCHOUMI

POURI

DEMSA

TORO

GACHIGA

PITOA

GAROUA

PALA

BÉNOUÉ

YOLA

BÉNOUÉ

TCHAD

0   50   100 KM

1

2

3

4

6

9

10

12

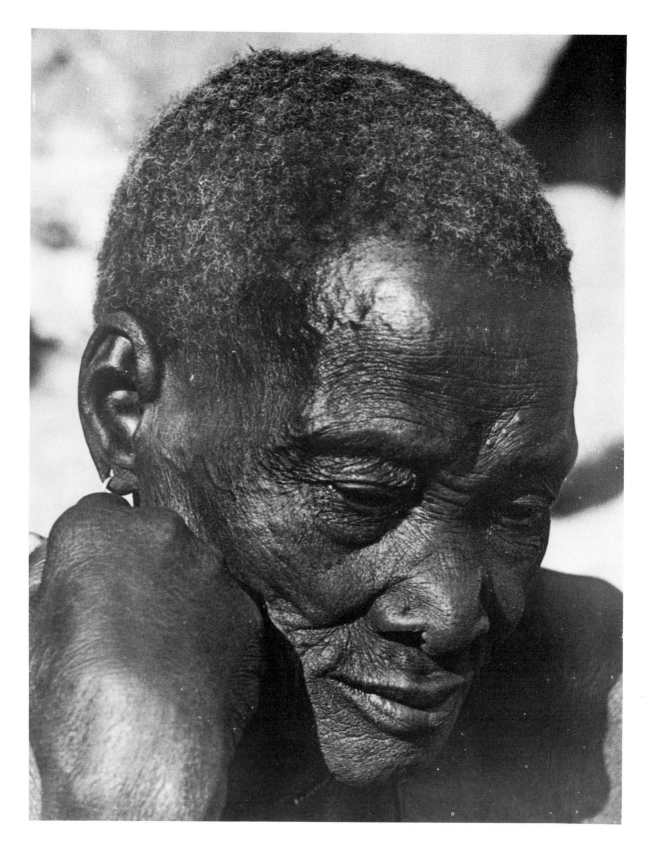

16

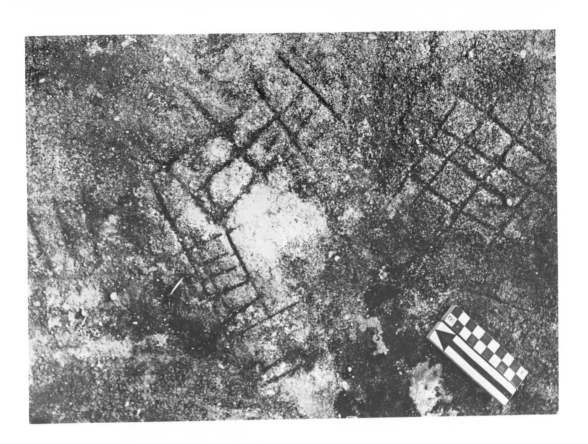

17

18

20

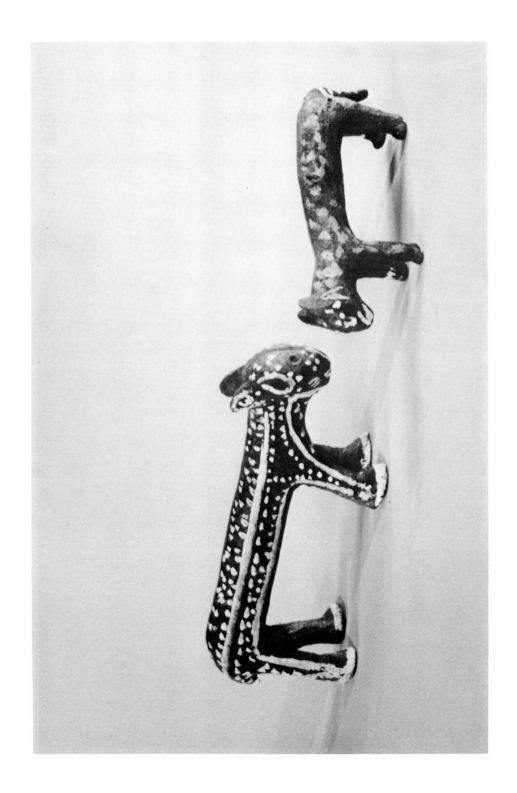

21

23

24

25

26

27

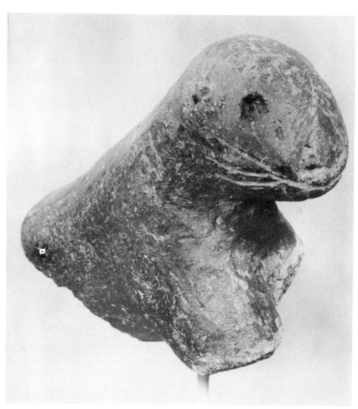

28

29

30

31

32

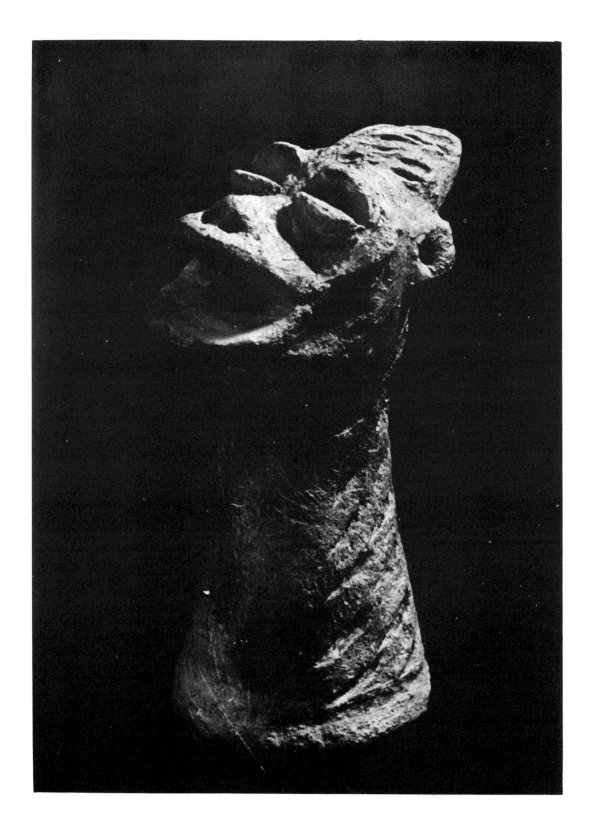

34

35

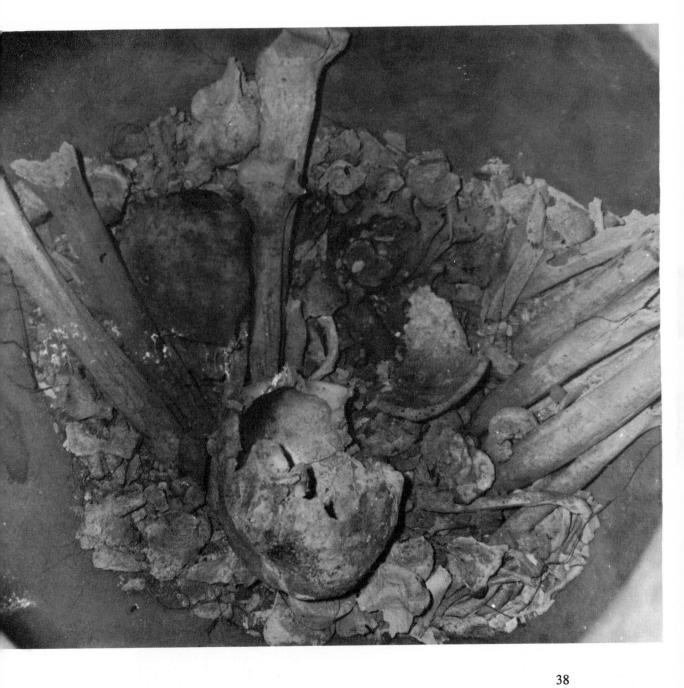

38

39

40

41

42

43

44

45

46

47

48

49

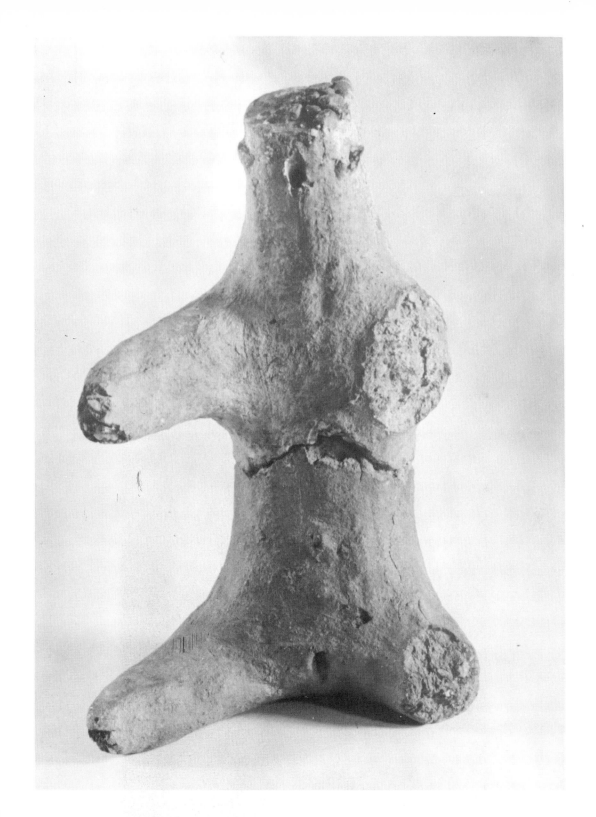

50

51

52

54

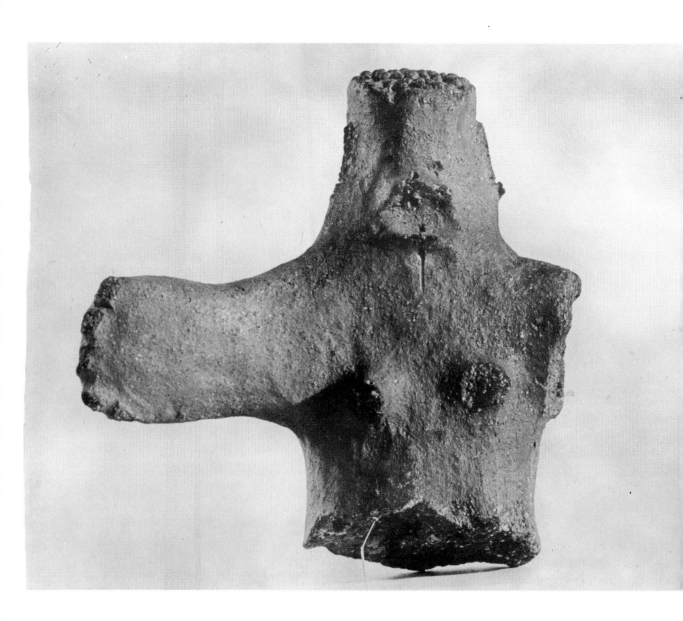

55

56

57

58

60

61

62

65

66

68

69

70

74

75

77

78

81

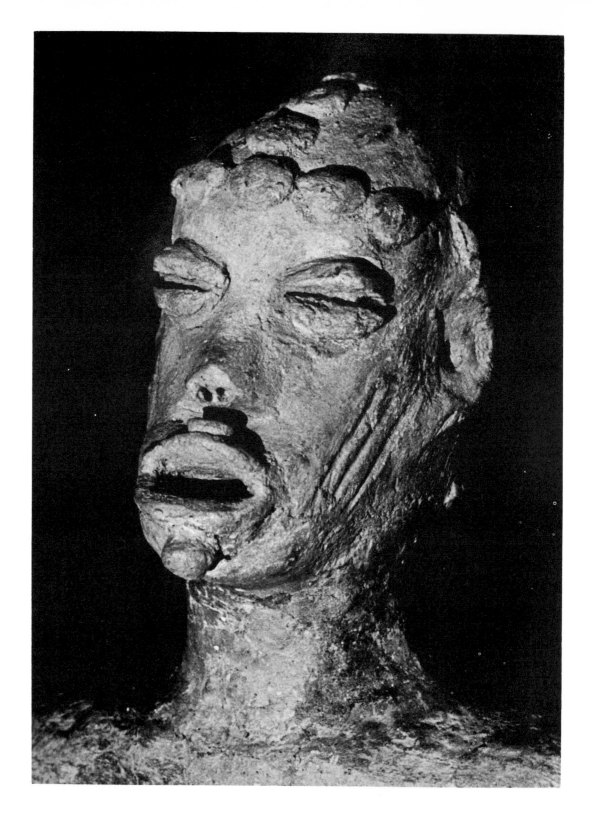

83

84

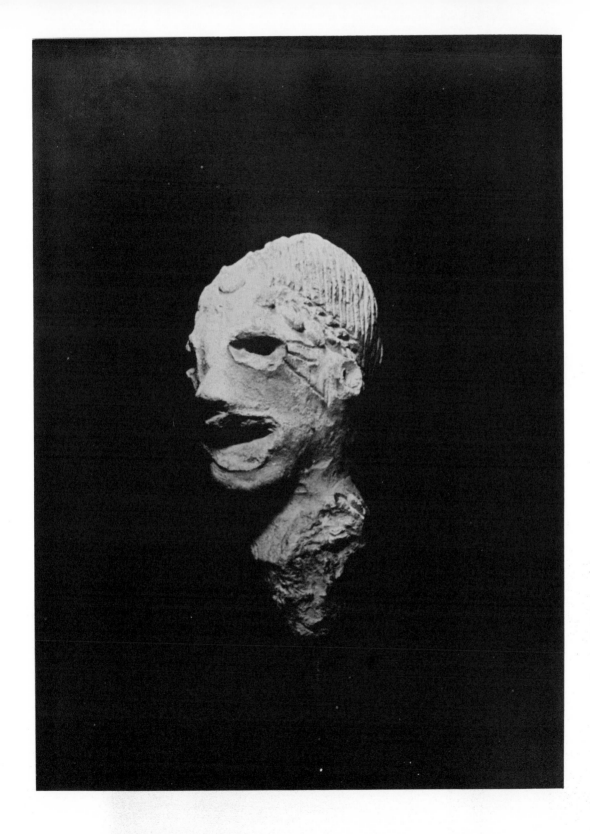

87

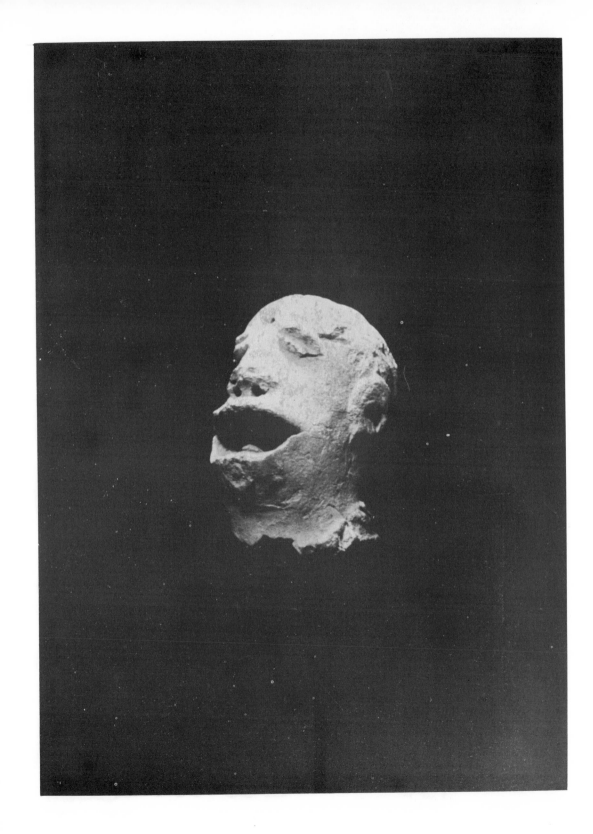

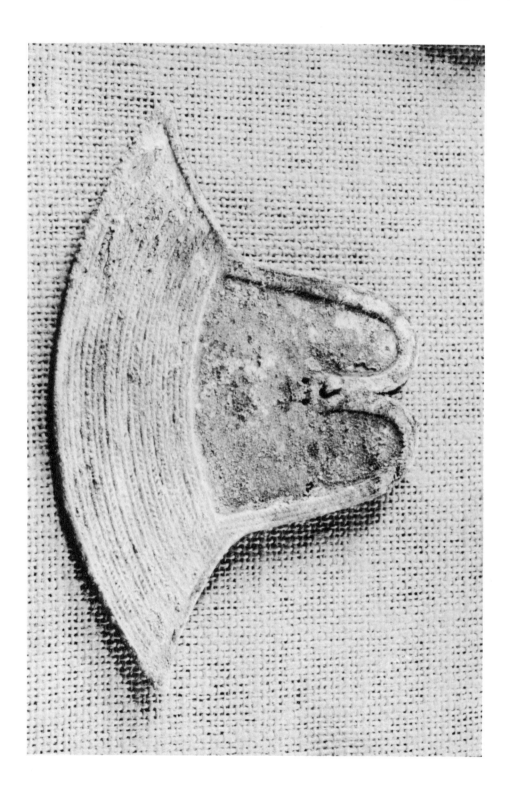

89

90

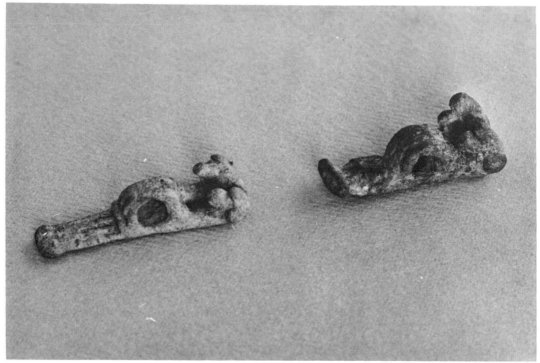

91

92

93

SAO

SAO 1A	900—1000				
SAO 1B	1000—1100				
'Butte-sans-nom' Maroko					
SAO 2A Maroko Kalla-Maloué Sou	1100—1200				
SAO 2B Maltam Kalla-Maloué Fort-Foureau	1200—1300				
SAO 3A Afadé	1300—1400				
SAO 3B Afadé Sou Amsabang Djajakaya	1400—1500				

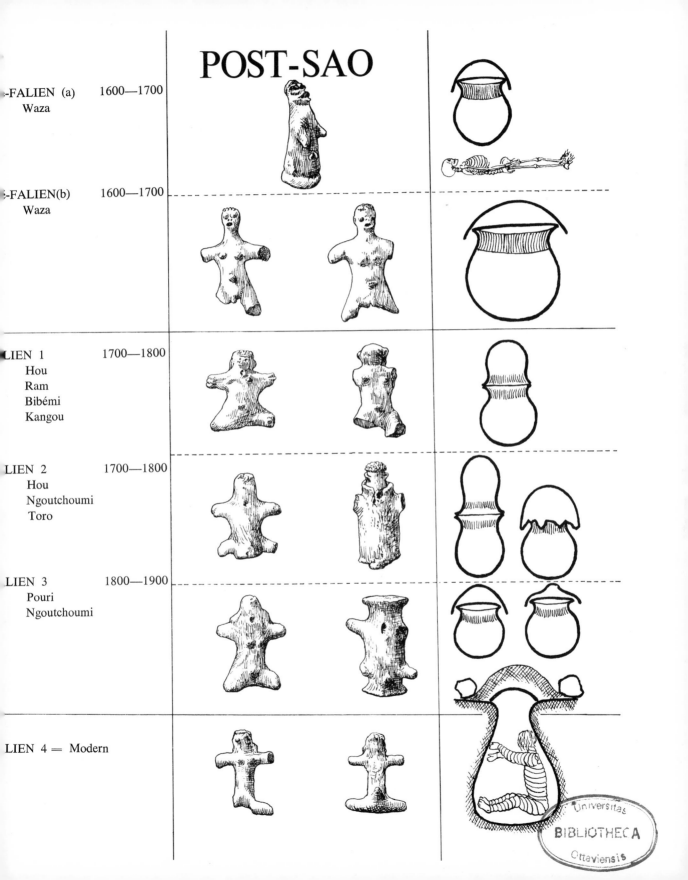

POST-SAO

-FALIEN (a) 1600—1700 Waza		
-FALIEN(b) 1600—1700 Waza		
LIEN 1 1700—1800 Hou Ram Bibémi Kangou		
LIEN 2 1700—1800 Hou Ngoutchoumi Toro		
LIEN 3 1800—1900 Pouri Ngoutchoumi		
LIEN 4 = Modern		